Les beaux cochons de Lili Tire-bouchon

PHOEBE GILMAN

Texte français de Christiane Duchesne

Les éditions Scholastic

Données de catalogage avant publication (Canada)

Gilman, Phoebe, 1940-
[The wonderful pigs of Jillian Jiggs. Français]
Les beaux cochons de Lili Tire-bouchon

Traduction de : The wonderful pigs of Jillian Jiggs.
ISBN 0-590-24862-6

I. Titre. II. Titre: The wonderful pigs of Jillian Jiggs.
Français.

PS8563.I54W6614   1988   jC813'.54   C88-093535-9
                    PZ23.G5Be 1988

Édition publiée par Scholastic Canada Ltd., 175 Hillmount Road, Markham
(Ontario) Canada L6C 1Z7.

7 6 5 4 3 2   Imprimé au Canada   9 /9 0 1 2 3 4 / 0

Il y a très longtemps, vous vous en rappelez,
Lili Tire-bouchon ne rangeait jamais.

« Lili Tire-bouchon, Lili, ma Lili,
Ta chambre ressemble à une porcherie! »

Mais un jour, surprise! Vous imaginez!
Lili Tire-bouchon avait tout rangé.

Sa chambre était belle, charmante et jolie,
Propre comme un sou neuf. Est-ce bien chez Lili?

Avec un sourire, elle tournait en rond,
« Où est mon grand pot rempli de boutons? »

Lili Tire-bouchon aimait les boutons,
Car ils lui rappelaient le nez des cochons.

« Si j'en fabriquais des petits cochons,
J'en vendrais sûrement. . . sûrement des millions. »

« J'aurais plein de sous, nous serions milliardaires,
Maman passerait son temps à ne rien faire. »

7

Une fois installée, elle ne s'arrête plus,
Et c'est en chantant qu'elle continue :

« Lili, Lili, Lili Tire-bouchon
Change les boutons en petits cochons. »

Le premier cochon a très belle allure,
Le second est vêtu de vieilles parures.

Puis Lili décide de leur donner des noms,
Mais quels noms peut-on donner à des cochons?

Celui qui sourit et porte une belle canne,
Lui, ce sera Georges, sa femme Marianne.

Qui a les joues rouges? C'est Marie-Hélène.
Le vieux aux moustaches porte le nom d'Eugène.

Un cochon pirate, Arnaud l'œil-de-bois!
Pour jouer avec lui, la princesse Emma.

« Lili, Lili, Lili Tire-bouchon
Change les boutons en petits cochons. »

Le cochon rayé, c'est le gros Maurice,
Et l'autre à carreaux, la gentille Alice.

Des cochons martiens, A2, 3 et 6.

Lili aurait pu ne jamais s'arrêter,
Mais Rosette et Charles venaient d'arriver.

« Venez, venez vite! leur hurle Lili.
Venez vite voir mes nouveaux amis. »

17

Partout sur la table, partout sur le lit,
Partout des cochons, tout est envahi!

18

« Lili Tire-bouchon, Lili, ma Lili,
Tu habites vraiment dans une porcherie! »

Ils prennent les cochons, les installent dehors,
Fabriquent une affiche et crient tous très fort :

« Lili, Lili, Lili Tire-bouchon

20

Change les boutons en petits cochons. »

« Dix sous le cochon, venez chez Lili,
Pas un sou de plus pour ses bons amis! »

Les enfants arrivent, frères, sœurs et cousins,
Ils cherchent des cochons, l'argent à la main.

22

En est-elle heureuse, Lili Tire-bouchon?

Non, et c'est bien triste!
Elle n'a pas le cœur de vendre ses cochons.

25

« Non, non, non! Ne prenez pas Marie-Claire!
Elle est trop petite, je ne peux m'en défaire! »

« Ni de ma Suzon, ni de mon Émile. . .
Et comment quitter ma bonne Cécile? »

« Et mon Alexis, l'ami de Thomas,
Je ne peux pas le vendre, je ne le ferai pas! »

27

« Surtout pas Eugène! Non, il ne part pas!
Arnaud l'œil-de-bois s'ennuiera trop de moi. . . »

« Je ne vends pas Grégoire, il est très enrhumé.
Il doit rester au lit, il ne peut s'en aller. »

« Je ne peux pas les vendre! C'est fini! Ça y est! »

Et puis tout à coup, elle a une idée!

« Entrez donc, venez! Prenez mes boutons!
Et nous allons tous fabriquer des cochons! »

« Nous ferons ensemble des millions de cochons,
Des millions de millions, des milliards de cochons! »

dit la généreuse Lili Tire-bouchon.

Comment fabriquer
un beau cochon

Il te faut :

Un vieux collant .... de n'importe quelle couleur. Toutes les couleurs
vont bien aux cochons!

Du fil et une aiguille .... pour coudre ton cochon.

De la bourre de polyester .... pour rembourrer ton cochon. Qui voudrait un
cochon maigre?

Du fil à broder .... pour broder les yeux et la bouche de ton cochon.

De la feutrine .... pour faire les oreilles. Si tu veux que ton cochon
t'entende.

Un bouton .... pour le nez de ton cochon.

De la laine .... à moins que ton cochon soit chauve.

Des cure-pipes........................ si tu veux un cochon martien.

De la dentelle et des rubans .... pour un cochon chic.

Un crayon rose .... pour colorier les joues du cochon.

Des ciseaux et de la colle

Faufiler

Point de surjet

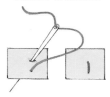
Point d'arrêt

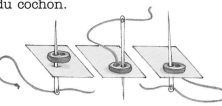
Coudre un bouton

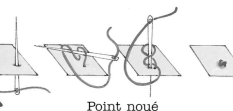
Point noué

Bouche étonnée

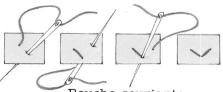
Bouche souriante

1. Coupe dans le
collant, un morceau
de 25 cm de longueur.

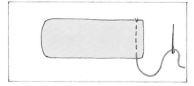

2. Faufile un des bords
du collant.

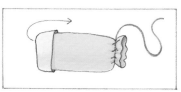

3. Tire sur le fil pour
refermer l'ouverture.
Fais un point d'arrêt,
puis retourne le collant.

35

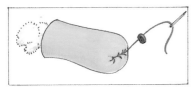

4. Bourre la tête et couds un bouton sur la couture.

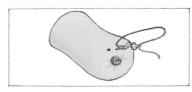

5. Pique par-dessous avec le fil à broder et fais deux yeux.

6. Couds une bouche souriante, fâchée ou étonnée.

7. Coupe deux triangles de feutrine pour les oreilles et couds-les au point de surjet.

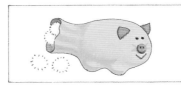

8. Ajoute plus de bourre au corps, et place quatre boules de bourre, dessous, pour faire les pattes.

9. Noue un fil autour de l'extérieur de chaque boule pour finir les pattes.

10. Tords le reste du collant pour faire une queue en tire-bouchon.

11. Noue le bout de la queue.

Couds ou colle du fil, de la laine ou de la bourre, pour faire des cheveux, des barbes ou des moustaches. Ajoute du ruban ou de la dentelle pour un cochon chic; des cure-pipes pour un cochon martien. Colorie les joues en rose.

Il ne te reste plus qu'à donner un nom à ce charmant cochon et à lui dire :
« Bienvenue dans la famille! »